Villa Aloysius
비야 알로이시오

The Aloysius Spiritual and Memorial Center
El Centro Espiritual y Memorial Aloysius
알로이시오 영성기념관

P∵.

© César Béjar

© César Béjar

© César Béjar

Contents. 목차

Villa Aloysius
The Aloysius Spiritual and Memorial Center

비야 알로이시오
알로이시오 영성기념관

The Unfinished Symphony

미완성 교향곡
La sinfonía inconclusa

Expresando la espiritualidad del Padre Aloysius y el espíritu
de las Hermanas de María, por medio del pensamiento
arquitectónico y su realización en Villa Aloysius.
Arquitecto_Woo Daeseung

비야 알로이시오에 소 알로이시오 신부의
영성과 마리아수녀회의 정신을
건축적 사고와 구현으로 드러내고 싶었다.
건축가_우대성

Expressing the spirituality of Father Aloysius and the spirit of the Sisters of Mary through architectural thinking and its realisation at Villa Aloysius.

Architect_Woo Daeseung

© Sisters of Mary

Girasoles (wild sunflowers): The Beginning

Girasoles silvestres: El comienzo

히라솔레스, 그 출발

En 1990, el Padre Aloysius Schwartz (1930-1992) hizo su primer viaje a México. Se fue con una oración en mente: "Quisiera dar a Dios tantas almas como los girasoles silvestres del campo."

Recorrí todo el terreno con esa aspiración en mente. 33,000m^2. Al final de un recorrido de 1 km, el volcán, el Popo, cubierto de nieve, emerge junto a Chalco, a 2,300m sobre el nivel del mar, una ciudad ubicada a 40km al sureste de la Ciudad de México. Hay ciudades satélites y áreas de extrema riqueza y pobreza que rodean la metrópolis. La ciudad de México no es una excepción. La "Villa de las Niñas", un internado gratuito administrado por las Hermanas de María, con la misión de ayudar a "los pobres a llegar a ser autosuficientes". 3,400 niñas llaman a esta escuela su hogar, viven allí, aprenden, juegan y corren juntas. Cuando terminan el curso de secundaria y preparatoria con un total de cinco años, se vuelven independientes, miembros sanos de la sociedad, capaces de asumir la responsabilidad total de sus familias. Durante los últimos 60 años, las Hermanas han ayudado a "200,000 niños pobres" que no tenían ningún otro sistema o estructura de apoyo que les permitiera pararse con sus propios pies. Tienen misiones en Corea, Filipinas, México, Guatemala, Brasil, Honduras y Tanzania. Uno llega a sentir que el Señor debe haberlas enviado aquí. El muro de 5m de altura que rodea el terreno de Villa de las Niñas Chalco sirve para garantizar la seguridad de las niñas. Todo tiene lugar aquí. Esto es tanto una escuela como un hogar para las niñas.

In 1990, Father Aloysius Schwartz (1930-1992) made his first trip to Mexico. He left with a prayer in mind: 'I wish to offer souls to the Lord as numerous as the wild sunflowers in the field.'

I walked around the land with that aspiration in mind. 33,000m². At the end of a 1-km sightline, the snow-capped 'El Popo' volcano emerges alongside Chalco, 2,300m above sea level, a city located 40km southeast of Mexico City. There are satellite cities and areas of extreme wealth and poverty surrounding the metropolis. Mexico City is no exception. The Villa de las Niñas, a free boarding school run by the Sisters of Mary, is directed by its mission to help 'the poor without the government's help to become self-reliant'. 3,400 children call this school their home, living there, learning, playing and running together. When they finish the five-year-long middle and high school course, they become independent, as healthy members of society, capable of taking full responsibility for their families. Over the past 60 years, the Sisters have raised and helped '200,000 poor children' that had no other support system or structure to enable them to stand on their own two feet. There are missionary sites in Korea, the Philippines, Mexico, Guatemala, Brazil, Honduras, and Tanzania. One comes to feel that the Lord must have sent them here. The 5m-high wall surrounding the land of Chalco is to ensure the safety of the children. Everything takes place here. This is both a school and a home for the children.

1990년 멕시코에 첫 발을 디딘 소 알로이시오 슈월츠(Aloysius Schwartz, 1930-1992) 신부는 '나는 들판에 핀 야생 해바라기 (Girasoles)처럼 많은 영혼을 하느님께 바치고 싶습니다.'라는 기도를 올렸다.

그 염원을 기억하며 땅을 돌았다. 10만 평. 1km의 시선 끝에 눈 덮인 '포포화산'이 보인다. 이곳은 해발 2,300m, 멕시코시티의 40km 동남쪽 도시 찰코(Chalco). 대도시 주변에는 위성도시이자 빈부차가 극심한 지역이 존재한다. 멕시코시티도 예외는 아니다. '정부의 손길이 닿지 않는 가난한 이들의 자립'을 미션으로 하는 마리아수녀회의 무료 기숙학교 '소녀의 집(Villa de las Niñas)'이 이곳에 있다. 3,400명의 아이들이 배우고 놀고 뛰며 산다. 중 · 고등학교 5년 과정을 끝내면 자립해서 사회의 건강한 구성원이 되어 가족을 책임진다. 한국, 필리핀, 멕시코, 과테말라, 브라질, 온두라스, 탄자니아의 미션지에서 수녀들은 지난 60년간 아무 연고도 없는 '가난한 아이들 20만 명'을 키워서 자립시켰다. 가난한 사람을 하느님이 보낸 이들이라고 믿는다. 찰코의 땅을 둘러싼 5m 높이 담장은 아이들의 안전을 위한 울타리다. 모든 것이 이 안에서 이루어진다. 아이들의 학교이며 집이다.

© Woo Daeseung

© Woo Daeseung

© César Béjar

© César Béjar

Hacienda:
A Home Abroad

La Hacienda, el pueblo natal de otro país

하시엔다, 타향의 고향

Villa Aloysius fue creada durante el proceso de responder el aura que emite la tierra de México, la misión de las monjas, y la hacienda.
La Hacienda se refiere a una gran granja. Aquí también hay campos de maíces. Los edificios que pertenecieron a la granja son referidas como la hacienda. Allí yace un hermoso silencio y los olores de San San Aloysius, quien ha permanecido por 2 años antes de su fallecimiento causada por la enfermedad de Lou Gehrig.

Construida en 1934, esta casa perteneció originalmente a la Primera Dama del Presidente Gustavo Díaz Ordaz (periodo presidencial 1964-70). En ese tiempo se llamaba: "Rancho Bella Vista", que significa lugar de hermosos paisajes. Detrás de la vasta granja de maíz, el nevado Iztlaccihuatl (5,230m) y el Volcán Popocatepetl aparecen como un dúo. El nombre tiene sentido. Más tarde, la granja llegó a ser propiedad del actor y músico mexicano Demetrio González, y se convirtió en una casa vacacional. En sus últimos años, cuando ya no quedaba nadie para cuidarlo, decidió mudarse a un apartamento en la ciudad. Luego se encontró con el Padre Aloysius. Al padre ya le había sido diagnosticada la enfermedad terminal de Lou Gehrig y vino a México con dos hermanas para implementar un proyecto. Al establecer esta casa de campo como su sede, el proyecto para los pobres de América del Sur podría comenzar. Esta casa para ricos se transformó en un hogar para niños provenientes de familias de escasos recursos, y tiene un compromiso a largo plazo con ese proyecto.

Villa Aloysius was built in response to the evocative land of Mexico, the mission established by the Sisters of Mary, and the unique aura emitted from the local Haciendas.
A Hacienda is defined as a plantation in Mexico, and more typically used for growing corn. The existing structures located on these farms are referred to as Haciendas. There is a beautiful silence over Villa Aloysius, and an aromatic scent left by Father Aloysius. He stayed here several times in two years right before he passed away of Lou Gehrig's Disease.

Built in 1934, this house was originally the farmhouse of the First Lady of President Gustav Dias Ordaz (presidential term 1964-1970). At that time, the place was called the 'Rancho Bella Vista', meaning the place of beautiful scenery. Behind the vast corn farm, the snow-capped Mount Iztaccíhuatl (5,230m) and the Volcano Popocatépetl appear as a duo. The name makes sense. Later, the farm came into the possession of the Mexican actor and musician Demetrio Gonzalez, and the house was converted from a vacation home into a residence. In his later years, when there was no one left to take care of him, he decided to move to an apartment in the city. Then, he met Father Aloysius. He was already diagnosed with terminal Lou Gehrig's disease, and he came to Mexico with two nuns to implement a project in Mexico. Establishing this farmhouse as his base, the project for the poor of South America began. This house for the rich was transformed into a home for children of deprived families, and has a long term commitment to that project.

비야 알로이시오는 멕시코의 땅, 수녀회의 미션, 이곳에 있는 하시엔다 건축이 뿜어내는 아우라(aura)에 답하는 과정에서 만들어졌다.
하시엔다 - 하시엔다(hacienda)는 멕시코의 대농장을 지칭하는 말이다. 이곳도 옥수수 농장이었다. 농장에 있던 원래 건물을 이곳에서는 하시엔다 라고 부른다 - 에는 아름다운 침묵이 있고, 소(蘇) 알로이시오 신부의 체취가 남아있다. 루게릭병으로 선종하기 직전 2년간 이곳에 머물렀다.

1934년 지어진 이 집은 오르다스 대통령(Gustav Dias Ordaz, 1964-70년 재임) 영부인의 농장 주택이다. 그때 '란초 베야 비스타(Rancho Bella Vista)', 아름다운 풍경이란 뜻의 지명이 붙었다. 광활한 옥수수 농장 뒤로 눈 덮인 이즈타치후아틀(Iztaccihuatl, 5,230m) 산과 포포카테페틀(Popocatefetl) 활화산이 쌍으로 보인다. 그런 이름이 붙을 만하다. 농장은 이후 멕시코 영화배우 이자 뮤지션인 곤잘레스(Demetrio Gonzalez)의 소유로 바뀌었고 별장에서 집으로 개조되었다. 생의 말년에 돌봐줄 이가 사라진 그는 도시의 아파트로 이사를 가고 싶어 했다. 그때 소 알로이시오 신부를 만났다. 루게릭병으로 시한부 삶 판정을 받은 상태였고 수녀 두 명과 함께 멕시코 사업을 위해 왔다. 이 농장 주택이 근거지가 되어 남미의 가난한 이들을 돌보는 사업이 시작되었다. 부자들의 집이 가장 가난한 아이들을 위해 오랫동안 준비된 느낌이다.

*

'Un hogar en el extranjero'',
eso era lo que la Hacienda significaba para mí.
Ciertamente es sorprendente que no me sentía
extraño teniendo esta casa tan inmensa para mí
solo. En lugar de sentirme extraño, sentía una
gran curiosidad por cada rincón de ella y casi no
tenía tiempo para dormir. Fue emocionante y una
verdadera bendición experimentar el hogar de
otra persona solo para mí. A pesar de que solo
había una cama individual preparada para que
descansarme al final del día, tuve toda la casa para
mí solo, durante una semana.
Al final de cada día, después de medir la casa
y registrar las medidas en una hoja de papel,
abriendo y tomando fotos de las puertas, subiendo
a la azotea y golpeando las paredes. Cuando me
cansaba, tomaba un café. El viejo armario de
madera de la cocina estaba lleno de platos para
casi cien personas. Yo hervía agua, le añadía una
cucharadita de café molido, lo bebía, lavaba de
inmediato la taza y la secaba con un paño de
cocina, dejando otra vez todo en su lugar. Luego
descendía la calma nuevamente como si nada
hubiera pasado. Era como un ritual. Los sonidos
de pasos, agua hirviendo, ruido de tazas y agua
goteando de la llave. Solo yo hacía esos sonidos
y solo yo los escuchaba. Allí conocí al Padre
Aloysius. Recordaba lo que necesitaba decidir y
lo que tenía que hacer al día siguiente. Soledad,
silencio, tranquilidad, dignidad de mi vida y mis
tareas: tal vez sentí lo mismo que el Padre alguna
vez.

*

'A home abroad',
that was what the Hacienda meant to me. It is
certainly surprising that I do not feel strange about
having this huge house all to myself. Rather than
feeling strange, I was extremely curious about
every little corner inside the house and hardly had
time to sleep. It was exciting and a true blessing
to experience someone else's home all to myself.
Even though there was only a single bed set for me
to lay down at the end of the day, I had the whole
house all to myself for a week.
At the end of each day, I measured the house and
recorded the dimensions on a piece of paper,
opening and taking photos of doors, going up
to the rooftop, and pounding the walls. When I
got tired, I took coffee. The old wooden closet in
the kitchen was packed with plates for almost a
hundred people. I boiled water, added a teaspoon
of ground coffee, drank it, washed it right away,
wiped the cup with a tea towel, put everything
back in its place; then, quiet descends again
as if nothing ever happened. It was like a ritual.
The sounds of footsteps, boiling water, cups
clattering, and tap water dripping. I alone made
those sounds and I alone listened to them. There,
I met Father Aloysius. I was reminded of what I
needed to decide upon and what I needed to do
on the following day. Solitude, silence, loneliness,
worthwhileness, and my tasks: perhaps I felt the
same way as Father once did.
When I laid down under the blankets, it felt very
peaceful. A few warm and worn out blankets
reminded me of my old days in the Navy.

*

'타향의 고향',
하시엔다는 나에게 그렇게 다가왔습니다. 넓디넓은 집을
홀로 차지하고서도 낯설지 않음은 분명 이상합니다.
낯섦보다 구석구석에 대한 호기심이 가득해서
잠들 겨를이 없었습니다. 누군가 살던 고향집을 홀로
마주한다는 것은 설렘이자 축복이었습니다.
내가 누워야 할 곳이 침대 한 칸이었음에도
일주일간 온 집은 나의 차지였습니다.
일이 끝난 저녁마다 줄자와 빈 종이로 집을 재고 적고
문을 열고 찍고 옥상을 오르고 벽을 두들겼습니다.
그러다 지치면 커피를 마십니다. 부엌의 오래된
나무 벽장 속에 백 명이 쓸 수 있는 그릇이 가득합니다.
물을 끓이고 커피를 한 수저 부어 마시고 바로 씻어
수건으로 닦아 모든 걸 제자리에 두고 나면 아무 일
없었던 것 마냥 다시 고요해집니다.
그것은 의식 같습니다. 발소리 끓는 물소리 잔의
달그락거림 수돗물 떨어지는 소리.
오롯이 혼자 그 소리를 내고 듣습니다.
그 속에서 알로이시오 신부님을 만납니다.
결정해야 할 일, 다음날 맞이해야 할 일상을 떠올립니다.
고독 정막 쓸쓸함 보람 그리고 나의 할 일.
신부님과 같은 공감을 느낍니다.
이불 속은 평안합니다. 따뜻하고 낡은 모포 여러 장이
오래전 군대 생활을 떠오르게 합니다.
낯설지만 포근한 이불 안에서 신부님의 기분과 느낌을
공유합니다. 그리고 곁에 있음을 느낍니다.
순간 오싹해집니다. (2016. 3. 22)

*

밤새 내린 비의 촉촉함이 스며 오르는 하시엔다 우물가
에 앉았다. 신부님이 앉았던 그 자리. 그가 쓴 「굶주린 자
와 침묵하는 자」에서 '완전한 적응(Adaptation totale)'
이란 문구를 만났다. 이국에 있을 땐 그 나라 사람의
행동뿐만이 아니라 사고, 말, 감정, 판단, 느낌을

©Woo Daeseung

© 1991, Sister of Mary

Al acostarme bajo las cobijas, me sentía muy tranquilo. Unas cuantas mantas calientes y desgastadas me recordaban mis viejos tiempos en el ejército. Debajo de estas mantas poco familiares pero acogedoras, compartí lo que el Padre debió sentir, y sentí como si él estuviera justo a mi lado. De repente, se sintió un poco espeluznante. (2016. 3. 22)

*

Me senté donde el Padre solía sentarse junto a la hacienda, donde la lluvia de la noche aún se puede ver. En su libro titulado "El hambriento y el silencioso", leí el artículo 'Adaptación total'. Ofrece el siguiente mensaje: si estás en un país extranjero, no sólo te comportes como las personas que viven allí, sino habla, piensa, juzga y experimenta como ellos. Así me sucedió en Chalco, México.

El edificio en la hacienda donde vivía el Padre permanece intacto. Hace ochenta años, un arquitecto mexicano diseñó esta estructura modernizando la tradición mexicana. Cada pista está aquí; todo conduce al después, y este lugar ha sido bien cuidado por las hermanas y los niños durante los últimos 30 años, uniendo por completo la arquitectura y la naturaleza. Me gusta esta sensación de ser natural: es frugal, un poco áspero y natural. Sobre todo, la casa está en armonía con el entorno. Se asemeja a la arquitectura tradicional de Corea. No es de extrañar que se emita un aura desde aquí, y que la nueva arquitectura se asemeje más a este lugar. Arcos, paredes blancas, canalones de lluvia, ladrillos, azulejos, tragaluces, madera, los colores son las formas, materiales, detalles que incluso dictan el uso de la luz. El nuevo diseño del edificio estaba destinado a convertirse en una parte vital de la hacienda.

*Under these unfamiliar but cozy blankets, I shared
what Father must had felt and sensed, and I felt as
if he were right next to me. Suddenly, it felt slightly
creepy. (2016. 3. 22)*

*

I sat down where Father used to sit by the
Hacienda, where the overnight rain was still
evident. In his book entitled *The Starved and
the Silent*, I read the article 'Total Adaptation'.
It delivers the following message: if you are in a
foreign country, don't just behave like the people
who live there, but speak, think, judge, and
experience like them. This happened to me in
Chalco, Mexico.
The house in the Hacienda where Father used to
live remains intact. Eighty years ago, a Mexican
architect designed this structure modernizing the
Mexican tradition. Every lead is here; everything
happens after it. And this place has been well
maintained by the nuns and the children over the
past 30 years, entirely uniting the architecture
and nature here. I like this sense of being natural:
it's frugal, a little rough, and natural. Most of all,
the house is in harmony with the surrounding
environment. This resembles traditional
architecture in Korea. No wonder that an aura is
emitted from here, and that the new architecture
more closely resembles this place. Arches, white
walls, rain gutters, bricks, tiles, skylights, wood,
colours are the forms, materials, details, and
dictate even the use of light. The newly designed
building was meant to become a vital part of the
Hacienda.

그 나라 사람처럼 하라는 메시지다.
이 곳은 멕시코 찰코다.
신부님이 살았던 '하시엔다'의 건물이 온전히 남아있다.
80년 전 멕시코의 어느 건축가는 멕시코 전통을
모던하게 해석해서 이 집을 지었다. 모든 실마리가
여기에 있다. 이곳은 지난 30년간 수녀와 아이들의
손길이 닿아 건축과 풍경이 온전히 하나가 되었다.
그 자연스러움이 좋다.
검박하고 조금 거칠고, 자연스러운…….
그 모습을 닮는다.

주변 환경과 하나가 된 집.
그 지점은 한국의 전통건축을 닮았다.
모든 아우라가 이곳에서 나오고, 새로 짓는 건축이
이곳을 닮는 것은 당연하다.
아치, 하얀 벽, 물홈통, 벽돌, 타일, 천창, 나무, 색상
……. 조형, 재료, 디테일, 빛의 사용까지.
새로 만드는 건물이 하시엔다의 일부가 되도록 했다.

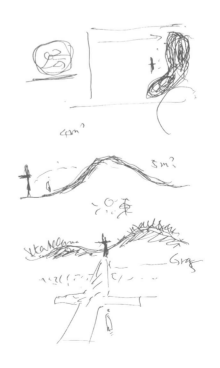

Paying Attention to the Nature of Mexico and Making Smart Changes

Prestando atención a la naturaleza de México y haciendo cambios inteligentes

멕시코적인 것, 그리고 변화

Ubicada dentro de la Hacienda, la Villa Aloysius es un edificio de usos múltiples con un salón conmemorativo, una capilla, la capillita de Banneux, un convento, una casa de huéspedes, una cafetería, un restaurante y salas para conferencias. Es un lugar en el que cientos de miles de hijos e hijas espirituales, amigos, benefactores y retiristas vienen a conmemorar y celebrar el espíritu del Padre Aloysius. Se debe prestar atención a la forma en que la gente lo usa, y se requiere cierta cantidad de encanto para motivarlos a volver una y otra vez.

Un espacio espiritual

Hay un compromiso de ofrecer el sentido original de la espiritualidad, un lugar donde descansó su cuerpo, mente y alma, mantener el lugar cuidadosamente tal como era. Uno puede imaginar la forma en que entraba y oraba todos los días, incluso cuando su enfermedad empeoraba y no podía mantenerse estable. Cuando te arrodillas junto a una silla de ruedas vacía, hay un sentido por el cual uno puede cultivar su espíritu de tolerancia junto con la fuerza para vencer las experiencias de angustia y letargo.

'Aunque el sufrimiento está en mí,
 no estoy en él. Estoy en Dios.'

Los visitantes estallan en lágrimas. Sienten la empatía y el consuelo de las presiones de la vida y los momentos más oscuros, de las sombras y agonías que pueden inundar la mente. Se sumergen completamente en el noble aroma que deja un gran hombre, así, es posible salir de la habitación llorando pero con una sonrisa.

Located within the Hacienda, the Villa Aloysius is a multi-purpose building with the founder's memorial hall, chapel, the little replica Chapel of Banneux, the nun's convent, guesthouse, café, restaurant, and conference rooms. It is a place in which a hundred thousand spiritual sons and daughters, friends, benefactors, and retreatants come to commemorate and celebrate the spirit of Father Aloysius. It must attend to the way people use it, and requires a certain amount of charm to entice them to come back again and again.

Spiritual Space

There is a commitment to deliver the original sense of spirituality, a place where his body, mind, and soul had come to rest, by carefully maintaining the place in just the way it was. One can imagine the way he came in and prayed every single day, even when his sickness was getting worse and he was unable to keep himself steady. When you kneel beside an empty wheelchair, there is a sense by which one can cultivate his spirit of tolerance along with the strength to escape from experiences of anguish and weariness.

　'Although suffering is in me, I am not in it.
　 I am in God.'

Visitors burst into tears. They feel the sympathy and consolation from life's pressures and dark moments, and from the shadows and agonies that can flood the mind. They completely immerse themselves in the noble scent left by a great man, walking out of the room in tears but with smiles.

비야 알로이시오는 '하시엔다' 영역을 중심으로 창설자 기념관, 성당, 바뇌(Banneux)의 경당, 게스트하우스, 수녀원, 카페와 식당, 세미나실 등이 있는 복합건물이다. 십수만 명의 영적 자녀, 친구와 은인 그리고 수도자들에게 소 알로이시오 신부의 정신을 전하고 기념하는 곳이다. 쓰는 사람들의 흐름에 맞추고 다시 오고 싶은 장소의 매력이 필요하다.

영성 공간

그의 몸과 마음, 영혼이 머물렀던 곳은 오리지널한 영성을 느낄 수 있도록 원래 모습을 유지한다. 병이 깊어져 목을 가누지 못한 상태에서도 매일 홀로 기도하던 방의 그 자리 그대로. 빈 휠체어 곁에 무릎을 꿇으면 고통과 무기력에서 나와 마지막까지 인내의 길을 달리게 만든 그의 묵상을 만난다.

"고통이 내 안에 있습니다. 하지만 나는 고통 안에
　있지 않습니다. 나는 하느님 안에 있습니다."

방문객은 눈물을 쏟는다. 삶이 주는 그림자와 짓눌림, 마음에 담긴 어둠과 괴로움에 대한 공감과 위로 때문일 것이다. 한 위인이 남긴 고결한 향기에 온전히 자신을 담갔다가 눈물과 미소로 방을 나선다. 이곳에 담긴 신부님의 흔적 속에 자신을 만난다.

© Sr. Margie Cheong

© César Béjar

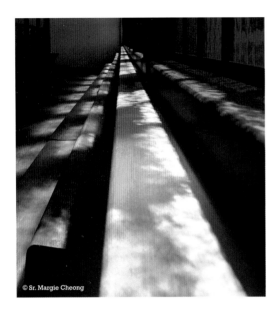

© Sr. Margie Cheong

Nos encontramos a nosotros mismos en las huellas dejadas por el Padre.

Capilla y Oratorio

Esta es la primera capilla independiente que se construyó desde que se establecieron las Hermanas de María. Anteriormente, la capilla estaba unida a la casa de los niños y compartía su uso con un gimnasio. Dado que los espacios para el cuidado de los niños se explican en su mayoría en la misión establecida, era más significativo ver el espacio utilizado en una amplia variedad de formas.

La luz de la hacienda
La calidez reflejada por la luz del cielo azul al amanecer. Quisiera que la luz del amanecer en la capilla de Villa Aloysius pueda aprovechar este calor. (2016. 12. 12)

Es la mañana del 480° aniversario de las apariciones de la Virgen de Guadalupe. En este nuevo amanecer, el sonido de los fuegos artificiales llenó la ciudad. Desearía poder describir la luz del cielo del amanecer que brilla en la capilla esta mañana. El amanecer de la hacienda, las vestiduras reales de los reyes de Joseon y los vitrales de la Iglesia de Notre-Dame du Raincy (1923) abrazaron esta luz azul. Los tazones que se usan en la hacienda también son azules. Puebla Azul: es el pigmento más común pero también el más lujoso de México. Es típico ver flores pintadas, hierbas y motivos en un pigmento azul sobre un fondo blanco. El pigmento se fabrica en las cercanías de Puebla, que es famosa por su cerámica. Del otro lado del mundo, el color de las montañas superpuestas que se

We encounter ourselves in the traces left by
Father.

Chapel and Oratory
This is the first independent chapel to be built since
the Sisters of Mary was established. In the past, the
chapel was attached to the children's house and
shared its use with a gymnasium. Since the spaces
for childcare were mostly accounted for in the
established mission, it was more significant to see
the space used in a wide variety of ways.

The Hacienda's Light
The warmth reflected from the light of the blue sky
at dawn. I wish that the dawn light in Villa Aloysius
chapel could harness this warmth. (2016. 12. 12)

It is the morning of the 480th anniversary of the
Virgin of Guadalupe's appearance. In this new
dawn, the sound of fireworks filled the city. I wish
I could describe the light of the dawn sky shining
in the chapel that morning. The dawn across the
Hacienda, the royal robes of the Joseon Kings,
and the stained glasses of the Église Notre-Dame
du Raincy (1923) embraced this blue light. The
cups that are used on the Hacienda are also blue.
Puebla Azul: it is the most common but also the
most luxurious pigment in Mexico. It is typical to
see painted flowers, grasses, and motifs in a blue
pigment on a white background. The pigment is
made in Puebla nearby, which is famous for its
pottery. Also, on the opposite side of the world,
the colour of the overlapping mountains that are
visible at the sunrise of Jiri Mountain Cheonwang

성당과 경당
마리아수녀회가 창설된 이후 처음으로 마련하는 독립된
성당이다. 그동안 성당은 아이들 집에 부속되거나
체육관을 겸용으로 사용해 왔다. 아동 양육공간이 그들의
미션에서 가장 필요했기 때문이며, 공간을 다용도로
쓰는 것을 더 중요한 가치로 여겼다.

하시엔다의 불빛
푸른 새벽하늘 빛에 투사된 따뜻함
비야 알로이시오 성당의 새벽빛도 이랬으면 좋겠다.
(2016. 12. 12)

과달루페(Guadalupe) 성모 발현 480주년 아침. 신새벽
폭죽소리가 도시를 채웠다. 성당은 새벽하늘을 비추는
이 빛을 담고 싶다. 하시엔다의 새벽이, 조선왕의 곤룡포
가, 랑시 대성당(Église Notre-Dame du Raincy, 1923)
의 스테인드글라스가 푸른빛을 품었다.
하시엔다에서 쓰던 그릇까지 하얀 바탕에 청색 안료로
꽃과 풀, 그리고 문양을 그린다. 도자기로 유명한 근처
푸에블라(Puebla)에서 만든 것이다. 푸에블라 블루
(Puebla Azul), 멕시코에서 가장 흔하지만
고급스러운 안료다. 지구 반대편 지리산 천왕봉의
일출에서 만나는 겹쳐진 산의 색도 푸름이다.
나는 내 고향 새벽의 이 빛이 너무 좋다.
자신을 돌아보는 차분함을 위해 하얀 벽과
푸른빛을 대비시켰다. 동쪽 빛을 머금는 푸른 창은
그렇게 선택되었다. 십자가 위의 천창으로 들어오는
새벽빛은 그 자체로 푸르다.
개원미사에서 'Y con tu espiritu(또한 사제의 영과
함께)'를 응송하면서 그 빛을 본다.

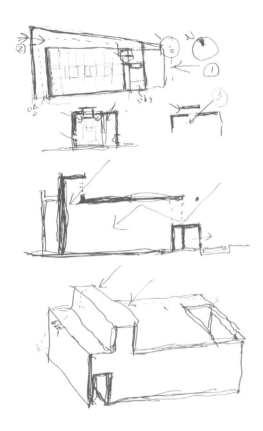

ven al amanecer de Jiri Mountain Cheonwang Peak, es azul. Realmente admiro esta calidad de luz azul al amanecer. Intencionalmente dibujé un contraste entre los colores de la pared blanca y el de la luz azul, con el fin de obtener una sensación de calma para la reflexión personal. Así fue como se decidió la ventana azul que capta la luz oriental. La luz del amanecer que viene del tragaluz sobre la cruz es simplemente azul. En la Misa de inauguración, observo esa luz mientras respondo "Y con tu espíritu".

"Me gusta la apariencia de Jesús después de la resurrección, pero siento más simpatía por la dolorosa semblanza de Jesús crucificado".

El deseo del fundador por la capilla: en esto radica la respuesta a su arquitectura. Las oraciones en la capilla comienzan cuando sale el sol. La capilla abraza la luz del amanecer de Chalco, que proyecta largas sombras. Al final del lento caminar de la contemplación, se encuentra la capilla. Después de cruzar el largo y oscuro pasillo, el Padre, cerca de la cruz amarilla, recibe a los peregrinos y, cuando se abre la gran puerta de madera, la capilla blanca y vacía capta la luz azul, abrazando la cruz con dolor.
Así es como los diferentes escenarios de la arquitectura, de la interacción y el cambio, que siguen las tradiciones y los ritmos de la vida cotidiana en México, pueden comenzar a tomar forma. Al hacer cambios en medio de un paisaje familiar: se requiere algo nuevo a lo que no se esté acostumbrado y sea diferente de la cultura de este país para su visión futura.

Peak is blue. I really admire this quality of blue light at dawn. I intentionally drew a contrast between the colours of the white wall and that of the blue light, in order to derive a feeling of calm for self-reflection. That is how the blue window capturing the eastern light was decided upon. The dawn light coming from the skylight above the cross is just simply blue. At the opening mass, I looked at that light while singing 'Y con tu espiritu (And with your spirit)' as a response.

'I like the appearance of Jesus after the resurrection, but I feel more sympathy towards the painful appearance of Jesus crucified.'

The founder's desire for the chapel: in this lies the answer to its architecture. The prayers in the chapel begin when the sun rises. The chapel embraces Chalco's dawn light, which casts long shadows. At the end of the slow walk of contemplation, there sits the chapel. After passing through the long, dark aisle, Father Aloysius, near the yellow cross, welcomes the pilgrims, and when the large wooden door opens, the white empty chapel captures the blue light, embracing the cross in pain.
This is how the different sceneries of architecture, of interaction and change – which follow the traditions and rhythms of daily life in Mexico – can begin to take shape. By making changes amid a familiar landscape: something new that is unaccustomed to and different from the culture of this country is required for its visionary future.

"부활한 모습의 예수님도 좋지만 나는 십자가에 못 박힌 예수님의 고통스러운 모습이 더 좋아요."

성당에 대한 창설자의 유지. 그 속에 건축의 답이 있다.
해 뜨는 시간에 성당의 기도가 시작된다.
긴 그림자를 만드는 찰코의 새벽빛이 성당에 담긴다.
찬찬히 걷는 묵상길의 끝에 마주한다.
어둡고 긴 통로를 지나면 노란 십자가 곁의 신부님이
순례자를 맞이하고, 큰 문을 열면 텅 빈 하얀 성당이
푸른빛을 머금고 고통 중의 십자가를 품었다.
멕시코의 전통과 일상을 따르면서 그곳에 놓은
한국 건축가의 다른 건축 풍경, 교류와 변화는
그렇게 시작된다. 익숙함에 던진 변화. 다른 풍경은
새로운 미래를 위해 필요하다.

© Woo Daeseung

© Woo Daeseung

Respecting What is Already There and Reusing It

Respetando lo que ya se encuentra ahí y reaprovechándolo

있던 것에 대한 존중, 다시쓰기

Un árbol arraigado en el suelo llamó mi atención inmediatamente. Esto se debió probablemente a su enorme tamaño, pero ese lugar parecía perfectamente adecuado para ese árbol. La posición de la casa se ajusta para preservar la monumentalidad del árbol. El tamaño, la dirección, los caminos y las ventanas de la casa están cuidadosamente diseñados para comunicarse con el árbol. Ojalá esta nueva construcción pudiera sentirse como si hubiera estado aquí, como su árbol vecino.

El almacén en la granja larga y ancha se usó como panadería y como un taller de serigrafía para miles de niños. El tamaño del almacén es inmenso, como si significara la riqueza de la granja. El muro del almacén existente indica cómo funcionó y cómo se estableció el orden en este terreno durante mucho tiempo. Esta pared se conserva y se reutiliza como pared exterior para colocar las funciones requeridas, como el pequeño convento, oficinas, salas de conferencias y de exposiciones. El objetivo era reparar y reutilizar todo lo posible: los ladrillos que están expuestos se dejan como están, para mostrar que esta no es una nueva construcción sino un lugar que se relaciona con el pasado. Dos silos para almacenar granos se mantuvieron tal como estaban y se convirtieron en una vivienda familiar con un ático. La tierra amontonada, de la excavación hecha para la capilla y para los cimientos del edificio, se usó para hacer un montículo y proporcionar una división de la casa de las niñas.

A tree rooted in the ground immediately caught my attention. This was most likely due to its enormous size, but that place just seemed perfectly suited to that tree. The position of the house is adjusted to preserve the monumentality of the tree. The size, direction, paths, and windows of the house are carefully designed to communicate with the tree. I wish this newly built building could feel as if it had stood here as long as its neighbouring tree.

The warehouse on the long, wide farm was used as a bakery and printing workshop for thousands of children. The size of the warehouse is immense, as if signifying the wealth of the farm. The wall of the existing warehouse indicates how it has long functioned and established order on this land. This wall is maintained and reused as an exterior wall to place required functions, such as the small convent, office, conference rooms, and exhibition halls. The aim was to repair and reuse everything as much as possible: the bricks that are exposed are left as they are to show that this is not a newly built house but a place that relates to the past. Two storage towers used for storing grains were kept as they were and converted into a family dwelling with an attic. The piled soil, from digging deep into the ground to construct the chapel and to make the foundations for the building was used to make a mound to provide a border around the children's house.

땅에 뿌리내린 나무에 눈이 먼저 갔다.
거대한 크기 때문이기도 하지만 그 자리가 건물이 아닌 그들의 자리 같다. 나무를 살리기 위해 집의 위치를 조정하고, 나무와 교감하기 위해 집의 크기와 방향, 길과 창을 뚫는다. 새로 짓지만 원래 이 자리에 있던 건물 같았으면 좋겠다.

길고 넓은 농장의 부속 창고는 수천 명 아이들의 빵공장과 인쇄소로 사용되었다.
창고는 농장의 부(富)를 상징하듯 거대하다.
창고의 큰 벽은 이 땅에선 오랫동안 작동하던 기능이자 질서다.
이 벽을 살려서 작은 수녀원, 사무실, 세미나 실, 전시 홀의 건물 외벽으로 다시 사용한다. 가능한 고쳐서 쓴다.
공사 중 이 벽체의 마감재료를 보수하다가 드러난 붉은 벽돌을 그대로 남긴다. 새로 지어진 집이 아니라 과거와 연결되는 곳임을 드러낸다.
곡식 보관용 사일로(Silo) 두 동은 형태를 그대로 살려 다락이 있는 가족 숙소로 고쳤다.
성당을 깊이 파고, 건물의 기초를 만들때 나온 흙으로 아이들의 집과 경계가 되는 언덕을 만들었다.

Frente a la bóveda redonda de la entrada, flores de jacaranda morada dan la bienvenida a los visitantes. Florecen cerca del árbol más grande del sitio. En la entrada, hay un mapa mundi que traza la jornada de las Hermanas de María, quienes durante mucho tiempo se han comprometido a ayudar a los pobres a ser autosuficientes. De pie frente al mapa y mirando hacia el oratorio de Banneux, hay cinco pinos que reflejan una sombra en el banco contra la pared roja. La capilla blanca voluminosa se convierte en el fondo de una colonia de árboles como si estuviera envuelta en su interior. Todo está firmemente en su lugar, y por eso se siente tan robusto.

In front of the round cupola at the entrance hall, purple jacaranda flowers welcome the visitors. They are the flowers that bloom near the largest tree on the site. At the lobby, there is a world map that traces the journey of the Sisters of Mary, who have long pledged their lives to helping the poor become self-reliant. Standing in front of the map and looking towards Banneux's oratory, there are five coniferous trees imposingly casting a shade on the bench against the red wall. The massive white chapel becomes the background to a colony of trees as if it is enveloped within them. Everything firmly stands in its place, and that is why it feels so robust.

입구 홀의 둥근 볼트 앞에 서면
보라색 하까란다(Jacaranda) 꽃이 방문객을 반긴다.
이 곳에서 가장 큰 나무에서 피는 꽃이다.
로비에는 가난한 이들을 자립시켜온 수녀회의 자취가
세계지도 속에 있다. 그 앞에 서서 바뇌의 경당을
바라보면 붉은 벽을 배경으로 큰 전나무들이
벤치에 그늘을 만든다. 하얀 성당은 담벼락 나무들의
배경이 되어 그것에 안긴 느낌을 준다.
나무들은 모두 자신이 있던 자리에 굳건히 그대로 있다.
그래서 싱싱하다.

© Woo Daeseung

© César Béjar

House Completed Collaboratively: The Twelve Gardens

Casa completada con participación: Los doce jardines

참여로 완성한 집, 열두 정원

Este lugar se siente muy diferente en cada estación y en cada hora. Espero que todos los que visiten este lugar comprendan su encanto único. Es un espacio donde puedes sentir la fuerza espiritual del Padre, donde puedes comunicarte directamente con la naturaleza. Siento que ofrece consuelo a los que vienen aquí. El consuelo es la fuente que los impulsa a volver una y otra vez. Eso fue logrado gracias a todos los miembros de este lugar, colaborando en la finalización de esta casa.

Cada vez que iba a México, me levantaba a las 4 de la mañana como si fuera un peregrino. Caminaba por el patio y veía las muchas flores y árboles. Púrpura, azul, violeta claro, naranja, rojo, blanco, amarillo: todos los colores de México están aquí. Diseñé 'Doce Jardines' en Villa Aloysius y los planté copiosamente. Girasoles, Jacaranda, Bugambilia, Cactus, Eucalipto, Cosmos, Pampa, Hortensia, Jazmín Asiático, Benjamin, Viola sororia, Violeta Estadounidense: un espacio es pleno cuando una casa está diseñada con plantas. Entonces, primero decidí dónde construir estos patios y dejarlos vacíos, luego presenté el siguiente programa. El edificio y el patio están conectados armoniosamente. Flores y árboles, la luz siempre cambiante enriquecerá este lugar.

La casa de huéspedes donde la gente viene y se aloja consta de habitaciones familiares, privadas, de grupos, de dos áticos, son las torres de silos que una vez se usaron en la granja, con habitaciones pequeñas cercanas para los trabajadores.

This place feels very different in every season and at every hour. I hope that everyone who visit this place will understand its unique charm. It is a space where you can sense the spiritual strength of Father Aloysius, where you can directly communicate with nature. I believe that comfort is offered to those who come here. Comfort is the source that drives them to come back again and again. That was achieved by all the members of this place, collaborating in the completion of this house.

Every time I went to Mexico, I woke up at 4 o'clock in the morning as if I were a pilgrim. I would walk around the playground and see the many flowers and trees. Purple, blue, light purple, orange, red, white, yellow: all of the colours of Mexico are here. I devised 'Twelve Gardens' in the Villa Aloysius and planted copiously. Sunflower, Jacaranda, Bougainvillea, Cactus, Eucalyptus, Cosmos, Pampas Grass, Hydrangea (Hortensia), Asian Jasmine, Benjamin, Blue violet, American violet: a space is truly brought to fruition when a house is designed with plants. So, I first decided where to build these yards and where to leave empty, and then laid out the programme later. The building and the yard are harmoniously connected. Flowers and trees, ever-changing daylight and wind will enrich this place.

The guesthouse where people come and stay consists of family rooms, private rooms, group rooms, attic rooms converted from the grain storage towers that were once used on the farm, with neighbouring small rooms for the workers.

이곳은 계절마다 시간마다 장소가 주는 느낌이 많이 다르다. 방문하는 사람도 그렇게 올 때마다 이곳의 매력을 느낄 수 있으면 좋겠다.
신부님의 영적 기운을 느끼고,
자연과 직접 교감하는 장소. 그것이 이곳에 오는 사람들에게 줄 수 있는 편안함이라고 믿는다.
편안함은 장소에 다시 오게 하는 힘이다.
이곳 구성원들이 같이 참여해서 편안함을 주는 이 집을 완성했다.

멕시코에 갈 때마다 수도자처럼 새벽 4시에 깼다.
운동장을 돌며 꽃과 나무를 만난다.
보라 파랑 연보라 주황 빨강 하양 노랑.
멕시코의 색이 여기에 다 있다.
비야 알로이시오에 '12 정원'을 만들고
그곳에 그 색을 심었다.
히라솔(Girasole), 하까란다,
부감빌리아(Bugambilia), 선인장(Cactus),
유칼립투스(Eucalyptus), 코스모스(Cosmos),
팜파 그라스(Pampas grass), 수국(Ortensia),
마삭줄, 잔디, 벤자민, 종지나물, 미국제비꽃…….
식물이 집과 함께 해야 편안한 공간이 완성된다.
그래서 건물보다 마당과 비울 곳을 먼저 찾아 배치했다.
건물과 마당이 흘러서 이어지게 한다.

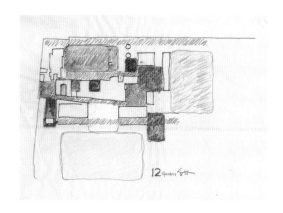

Cada habitación se colocó de manera apropiada, frente a cada jardín, para ofrecer una estancia tranquila. Cuando las puertas están abiertas, las habitaciones se conectan espontáneamente con los jardines. Han sido diseñados para adquirir un ambiente diferente cada vez que las personas visiten en diferente época del año. Estos hermosos jardines han sido creados, decorados y mantenidos gracias a los esfuerzos de las hermanas, las niñas y los graduados.

Trescientas personas hacen fila, todos sostienen un cactus. El sitio queda inmediatamente lleno, pleno de actividad. La grava es transportada por un puñado y luego por otro, y el suelo se llena rápidamente con cascajo. Los pastos entregados por el camión ahora se transportan en una carretilla empujada por las hermanas, los ponen en los brazos de las niñas y luego se entregan a los jardines. Esta es una escena tan inusual de ver; ¡Qué grande es el poder del hombre! Las niñas están participando en la construcción de su propia casa. Cuando la construcción está más allá del punto medio, el jardín y el paisaje se completan antes del edificio. Docenas de graduados vienen a la obra cada fin de semana. Los niños pequeños agarran gravilla en sus manos, colocándola sobre el cemento, las mamás y los papás continúan riéndose mientras mueven las cargas. Así fue como se completó el camino de la entrada.

Every room was placed appropriately, facing each garden, in order to offer a quiet stay. When the doors are open, rooms are spontaneously connected to the gardens. They have been designed to acquire a different ambiance every time people visit in each season. These beautiful gardens have been created, decorated and maintained through the efforts of the nuns, the children and graduates.

Three hundred people stand in line, everyone is holding a cactus. The site is immediately full, thronged with activity. Gravel is carried by one handful and then another, and the ground is quickly filled with red volcanic stone. Grasses delivered by truck are now carried in a wheelbarrow pushed by the nuns, nestled in children's arms, and then delivered to the gardens. This is such an unusual scene to watch; how great the power of man is! Children are participating in building their own house. When construction is beyond mid-point, the landscape gardening is completed before the building. Dozens of graduates come to the construction site every weekend. Their small children grab pebbles in their hands, placing and tapping them on top of the cement, the moms and dads continue to laugh while moving loads. That was how the driveway was completed.

꽃과 나무, 늘 바뀌는 햇살과 바람이
이곳을 풍성하게 할 것이다.
사람들이 머무는 게스트 하우스는 개인숙소, 가족실,
단체숙소, 농장에서 사용하던 곡물 저장탑을 개조한
다락방, 그리고 일꾼들이 사용하던 작은방으로
구성되어 있다. 방은 고요하게 머물 수 있도록
여러 곳으로 나누었고 각자의 정원을 마주한다.
문을 열면 정원과 자연스럽게 연결된다.
올 때마다 계절마다 다른 느낌을 받는다.
이 아름다운 정원은 수녀들과 이곳 아이들, 졸업생의
노력으로 만들었고 가꾸고 유지된다.

300명이 줄을 섰다. 손에 선인장 한 그루씩 들었다.
현장은 순식간에 채워진다. 한 줌 두 줌 자갈을 나르더니
바닥은 금새 붉은 화산석이 찼다.
트럭에 실려 온 잔디는 수녀들이 끄는 일륜차에 실려서,
아이들의 가슴에 안겨서 정원으로 배달된다.
보기 힘든 공사장 풍경이다. 사람의 힘이 이리 크다.
자신의 집짓기에 참여한 아이들. 건축공사가 중반을 넘어
서고 있는 시점에 조경이 건축보다 먼저 완성된다.
주말마다 수십 명의 졸업생 가족이 공사현장에
왔다. 꼬마들은 조약돌을 손에 쥐고 시멘트에 올려
톡톡거렸고, 엄마 아빠는 짐을 옮기며 깔깔거린다.
진입로는 그렇게 완성되었다.

© Sr. Margie Cheong

7,000 manos están bailando. 250 trabajadores son felicitados en el escenario. Este es el momento en que el arquitecto y el equipo de trabajo disfrutan de las celebraciones navideñas organizadas por las niñas, una vez finalizada la misa, el festival. Las niñas aplauden fuerte. Tal vez recuerden a sus padres que están a 48 horas de distancia por autobús, de ellas; Así fue como animaron al equipo de trabajo.

Esta casa fue completada por las hermanas, los graduados y los estudiantes, quienes no solo apoyaron financieramente el proyecto sino también participaron activamente en la plantación de árboles, la colocación de un nuevo césped y la pavimentación de la calle con gravilla. Por encima de todo, ellos mismos construyeron el dique completo de 60 m de largo que divide el espacio de los niños del espacio espiritual. Amontonaron el montículo de 4m de altura y plantaron pasto y flores. Hay una diferencia esencial entre apoyar financieramente y participar físicamente en la construcción.

7,000 hands are dancing. 250 workers are congratulated on stage. This is the time when the architect and the team enjoy Christmas celebrations hosted by the children in a festival of songs and dances right after the Thanksgiving Mass is finished. The children cheer loudly. Maybe they are reminded of their parents who are 48 hours away by bus from them; this was how they encouraged the work team.

This house was completed by the nuns, graduates, and students, who not only supported the project financially but actively participated in the planting of trees, laying of a new lawn, and the paving of the street with gravel. Above all, they themselves built the entire 60m-long dyke that divides the children's space from the spiritual space. They piled up the 4m-high mound, and they planted grass and flowers. There is an essential difference between supporting something financially and physically participating in the construction.

오늘은 7,000개의 손이 춤을 춘다.
작업인부 250명이 무대 위에서 축하를 받는다.
미사를 마친 후 건축가와 작업팀이 아이들의
성탄축하를 받는 자리. 아이들은 환호성을 질렀다.
48시간 버스를 타고 가야하는 먼 고향의 부모님 생각이
나나 보다. 그들은 이렇게 작업팀의 기운을 북돋웠다.

이 집은 수녀들, 졸업생과 재학생들이 경제적 후원뿐만
아니라 나무를 심고, 잔디를 깔고, 자갈로 길을
포장하며 참여로 완성한 집이다.
특히, 아이들의 공간과 영적 공간을 구분 짓는
60m 길이의 언덕은 온전히 그들의 힘으로 만들었다.
4m 높이의 흙을 쌓고 잔디와 꽃을 심었다.
몸으로 참여하는 의미는 본질적으로 다르다.

© Woo Daeseung

© Woo Daesung

Labour-Intensive Construction and the Basics of the House

Mano de obra intensiva y los básico de una casa

노동집약적인 건축, 그리고 집의 기본기

Se han estudiado los métodos generales de construcción en esta área, los medios de construcción con tecnología local y mano de obra barata. La "mano de obra intensiva" requiere una gran cantidad de mano de obra al tiempo que simplifica los materiales y detalles de construcción. El potencial para la aplicación desigual de los detalles no domina, y tales irregularidades son fáciles de solucionar sin ninguna habilidad especial. En virtud de esto, los estudiantes y graduados pueden participar en la finalización del edificio. Incluso sin una habilidad especial, cualquier persona con una fuerte voluntad de participar, puede hacerlo.

Los niños esperan a sus papás en la entrada de la obra. También hay una mujer vendiendo flores. Esta es la escena del almuerzo de un sábado. 250 personas que estaban cortando, barriendo, llenando, doblando e instalando hace un momento, rápidamente abandonan el sitio. En sábado, el trabajo termina por la mañana.
Chalco es una de las zonas más pobres de México, una ciudad satélite de la megaciudad de México y su población de 22 millones de personas. Debido a la rápida urbanización, se pueden encontrar niveles similares de pobreza urbana en las ciudades vecinas y en circunstancias urbanas similares en todo el mundo.
El sitio de construcción de Villa Aloysius es el lugar de trabajo de las personas que viven cerca, y el sábado es el día de pago para los trabajadores que reciben un salario semanal. Los niños esperan frente a la entrada a que sus padres salgan del trabajo para pasar un fin de semana juntos.

The general methods of building in this area and the means of building with local technology and inexpensive labour have been studied. 'Labour-Intensive Construction', requires a high labour input while simplifying the building materials and details. The potential for the uneven application of details does not dominate, and such irregularities are easy to fix without any special skill. By this virtue, students and graduates can be engaged in the completion of the building. Even without special skill, anyone with a strong will to participate can do so.

Children wait for their fathers at the front of the construction site entrance. There is also a woman selling flowers. This is the scene of a lunchtime on a Saturday. 250 people who were cutting, sweeping, filling, bending and installing a while ago quickly leave the site. On a Saturday, work finishes at noon.
Chalco is one of the poorest areas in Mexico, a satellite city to the mega-city Mexico City and its population of 22 million people. Due to the rapid urbanisation, similar levels of urban poverty can be found in the neighboring cities, and in similar urban circumstances around the world.
The construction site of Villa Aloysius is the workplace of the people who live nearby, and Saturday is the payday for the workers who receive a weekly wage. The children wait in front of the entrance for their fathers to get off from work and to go on a weekend trip together. I choked up the moment I realised why the children had been waiting. A father with a job, a son and wife who wait; how beautiful they are!

이 지역에서 건축물을 만드는 일반적인 방법,
이 지역의 기술과 저렴한 노동력으로 만들 수 있는
방법을 고민한다. '노동집약적인 구축',
사람이 손으로 쌓는 방식으로 재료를 단순화 하고
디테일을 간단하게 한다. 조금 비뚤어져도 크게 이상하지
않고 특별한 기술 없이도 쉽게 고쳐서 쓸 수 있도록
한다. 덕분에 건물의 시공과정에 재학생과 졸업생들이
참여할 수 있었다. 기술과 돈이 없어도 마음이 있으면
몸으로 참여가 가능했다.

공사 현장 대문 앞에 아이들이 종종종 아빠를 기다린다.
꽃을 든 여인도 보인다. 토요일 점심시간의 풍경이다.
조금 전까지 자르고 쓸고 메우고 구부리고 설치하던
250명이 일순간에 빠져나간다.
이곳 공사현장은 토요일 오전에만 일한다.
찰코는 멕시코에서 가장 가난한 지역 중 하나다.
2,200만 명이 사는 메가시티인 멕시코시티의 위성도시.
급격한 도시화로 인해 세계 어느 곳이나 비슷한 모습의
도시 빈민이 주변도시에 산다.
비야 알로이시오 현장은 근처 사람들의 일터가 되었다.
토요일은 주급을 받는 노동자들의 급여 날이다. 아이들은
일을 마치고 귀가하는 아버지와 여행을 가기위해
대문 앞에서 기다린다고 했다.
기다림의 이유를 알게 된 순간 가슴이 찡했다.
직업을 가진 아버지와 기다리는 아들과 아내의 모습이
아름답다.

Me sorprendí en el momento en que me di cuenta de por qué los niños habían estado esperando. Un papá con un empleo, un hijo y una esposa que le esperan; que hermosos son.
La construcción se abre a las 7 de la mañana. Entre los reunidos allí, un sonido vacila en el aire. Esta escena de verificación de los trabajadores reunidos al comienzo de la jornada laboral se siente igual que en Corea. Primero pensé que responderían en voz alta ya que aún estaba oscuro, y sus rostros eran apenas visibles. Sonaban claros y fuertes, además de la emoción de ir de viaje con sus hijos por la tarde.

Escala humana, el tamaño apropiado del espacio, su uso, la dulzura de la luz del día y la sombra, la ventilación cruzada y la circulación de aire, una línea de visión bloqueada y su vista de flujo libre, pasillos y entradas para protegerse de la lluvia, asegurando privacidad y separación. Lugares para reunirse, apagar los sonidos y los olores: estos conceptos básicos que no cambian con el tiempo se tuvieron en cuenta. Las líneas de visión naturales y la experiencia del paisaje cuando estaban en movimiento fueron cuidadosamente estudiadas. El lugar siempre fue pensado para el uso de personas de diferentes nacionalidades que no se conocen entre sí: necesitan un lugar para refugiarse de alguna lluvia intensa con una hora de duración en el periodo de lluvias mientras escuchan la lluvia como una cascada y un lugar sombreado para refugiarse del sofocante sol mexicano.

The construction site opens at 7 o'clock in the morning. Among those gathered there, a sound of a roll-call resonate in the air. This scene of checking the assembled workers at the beginning of the workday felt the same as it is in Korea. I first thought that they answered with a loud voice because it was still dark, and their faces were barely visible. In fact, they sounded clear and loud out of excitement about going on a trip with their children in the afternoon.

Human scale, the appropriate size of the space, its usage, the sweetness of daylight and shade, cross ventilation and air circulation, a blocked sightline and its free-flowing view, passageways and entrances to take shelter from the rain, securing privacy and separating places to meet, shutting off the sounds and smells: these basics that do not change over time were all taken into consideration. Natural sightlines and the experience of scenery when in motion were carefully studied. The place was always intended for use by people of different nationalities who do not know each other: they need a place to take shelter from an hour-long heavy rain during wet season while hearing the waterfall-like rain, and a shaded place to escape the sweltering Mexican sun.

현장이 열리는 아침 7시. 옹기종기 모여 있는 사람들 사이에 이름을 부르고 대답하며 확인하는 소리가 들린다. 현장 시작 시간 작업자를 확인하는 것은 한국과 비슷한 풍경이다. 어둠이 걷히는 시간 겨우겨우 보이는 얼굴 대신 목소리로 신분을 확인하는 줄 알았다. 그러나 그 맑고 힘찬 대답은 오후에 아이와 여행을 가는 설렘이 배어나온 소리였다.

휴먼스케일(Human Scale), 적절한 공간 크기, 적합한 쓰임, 달콤한 햇살과 그늘, 맞통풍과 환기, 시선의 차단과 흐름, 비를 피할 수 있는 통로와 입구, 프라이버시의 확보와 만나는 장소의 구분, 소리와 냄새 차단 같은 집의 기본기에 집중했다. 편안한 시선, 움직이는 곳의 풍광에 대해 세밀하게 다룬다. 우기 폭포처럼 쏟아지는 장대비를 피하고 따가운 멕시코의 태양을 피할 수 있는 곳이 필요하다. 많은 통로와 차양은 이러한 필요가 낳은 결과다. 이곳은 국적이 다른 서로 모르는 사람들이 모이고 쓰는 곳이다.

VILLA
ALOYSIUS

© Woo Daeseung

Again,
Back to the
Unfinished
Symphony

De vuelta a la
Sinfonía Inconclusa

다시,
미완성 교향곡으로

El Padre Aloysius fue a su sueño eterno dos años después de que comenzara el proyecto de México. El Cardenal Ivan Dias, que era el Nuncio apostólico en Corea en ese momento, le dijo: "Usted comenzó esto, pero no necesita ser usted quien lo termine. Esta es su sinfonía inconclusa". Este es también el caso de Villa Aloysius: aquellos que la usen ahora completarán su sinfonía.

*

P. Aloysius !!!
Sé que me usaste como un instrumento.
Gracias por usarme, aún más allá de mi capacidad.
Sé que lo hiciste tú.
Yo estuve allí, en el sitio, Dándome cuenta de que fuiste tú, no yo, quien hizo todo lo que se había logrado.
De buena gana dejo que te encargues de mí.

Para poder tener la ceremonia de bendición, se necesitaba un milagro.
La finalización de la construcción inconclusa.
Era imposible en el nivel normal de trabajo.
Muchos comentaron lo sorprendente que era que la casa aún se estuviera construyendo en esas circunstancias.

Día tras día, las personas unieron sus pequeños esfuerzos.
Algo invisible hacía funcionar todo por sí solo.
Las ideas del arquitecto tuvieron lugar marginalmente, mientras que algo inesperado fue logrado. Revisé y ajusté ambas condiciones todos los días y me aseguré de lo que debía hacerse a continuación.

Father Aloysius went to his eternal sleep two years after the Mexico project began. Cardinal Ivan Dias, who was the Apostolic Nuncio to Korea at that time, said to Father: 'You have started this, but you don't have to finish it. This is your unfinished symphony'. This is also the case for the Villa Aloysius: those who use it now will complete its unfinished symphony.

*

Fr. Aloysius!!!
I know you used me as an instrument.
Thank you for using me, with everything beyond my ability.
I know you did it. I was there, at the site,
realising that it was you, not me, who did everything that had been accomplished.
I willingly let you be in charge of myself.

In order to hold the blessing ceremony, a miracle was needed to take place.
The completion of the unfinished construction was impossible at the normal level of labour.
Many commented how amazing it was that the house was still being built under these circumstances.

One day after another, people drew their small efforts together.
Something invisible was working on its own.
The architect's ideas were marginally taking place, while something unexpected was accomplished
I checked and adjusted both conditions every day and made sure what needed to be done next.
It felt as if an invisible huge hand was carrying everything out.

멕시코 사업을 시작하고 2년 만에 영면(永眠)한 소 알로이시오 신부에게 당시 주한 교황대사였던 이반 디아스(Ivan Dias) 추기경은 "당신이 시작은 하지만 끝낼 필요는 없다. 이것은 당신의 미완성 교향곡"이라고 했다. 시한부 삶이 마감되어가는 것을 알았던 그가 미완의 사업을 시작한 동기다. 비야 알로이시오의 건축도 그렇다. 쓰는 사람이 완성할 것이다.

*

Fr. Aloysius!!!
당신이 저를 도구로 쓰셨음을 압니다.
제 능력을 넘어 모든 걸 다 써 주셔서 감사합니다.
당신이 그랬음을 압니다.
그 자리, 그 현장에 있으면서 내가 아닌 당신이 그렇게 한다는 것을 느꼈습니다.
기꺼이 나를 맡겼습니다.

수녀들은 축복식(祝福式)을 치르기 위해서는 기적이 필요하다고 했습니다.
거의 마무리되지 않은 공사는 일반적인 힘으로는 완성이 불가능했습니다.
누군가는 이런 상황에서도 집이 지어진다는 것이 신기하다 했습니다.

하루하루 사람들의 작은 힘이 모였고 보이지 않는 무언가가 스스로 작동하듯 움직였습니다. 건축가가 생각한 것은 겨우겨우 진행되었지만 예상치 않았던 곳의 일이 오히려 훅훅 완성되어 갔습니다. 그 두 지점을 매일 확인하고 수정하고

*Se sentía como si una enorme mano invisible
estuviera dirigiendo todo. En la última noche, dos
mil rosas se esparcieron por el estanque. El día
de la ceremonia de bendición, las niñas cantaron
fuerte y lanzaron globos al cielo.(2018. 6. 24)*

*

La arquitectura es la suma de las condiciones.
El sitio en Chalco en México,
Las necesidades, la pasión y la disposición de las
Hermanas de María.
La participación de arquitectos coreanos y la
colaboración con arquitectos mexicanos.
cambios de la compañía constructora, restricciones
de costo y restricciones legales,
la competencia en la tecnología, el material y la
mano de obra en el sitio,
También, el cuidado y los esfuerzos de todos los
que participaron.
"Villa Aloysius" es el resultado de todas estas
condiciones.
Nada fue fácil y nada procedió sin problemas.

Cada casa tiene su propia historia.
Esta casa no es el resultado de realizar las ideas y
pensamientos del arquitecto.
Más bien, está dedicada a la espiritualidad del
Padre Aloysius y al uso de las Hermanas de María.
Fue construida 'aquí y ahora', en el momento que
se hizo necesaria.

Se utilizará para ayudar a los pobres sin la ayuda
del gobierno para que lleguen a ser autosuficientes,
y para todos los miembros de la familia del Padre
Aloysius.

A night before the blessing, two thousand roses were spread across the fount.
On the day of the blessing ceremony, the children sang out loud and balloons were released into the sky. (2018. 6. 24)

*

Architecture is the sum of the conditions.
The site at Chalco in Mexico,
the needs, passion, and disposition of Sisters of Mary, the participation of Korean architects, in collaboration with Mexican architects,
changes of the construction company, restrictions in cost and the constraints of the legal system,
the proficiency in the technology, material, and manpower on the site, also, the care and efforts from everyone who had participated.
'Villa Aloysius' is the result of all these conditions.
Nothing was easy and nothing proceeded smoothly.

Every house has its own story.
This house is not the result of realising the ideas and thoughts of the architect.
Rather, it is dedicated to the spirituality of Father Aloysius and the use of the Sisters of Mary
It was built 'now and here', at its time of need.

It will be used to help the poor without the government's help to become self-reliant,
and it's for all the members of the family of Father Aloysius. The Heavenly Father guided us to accomplish it through the sisters and the architect.
Every thought and spirit came from Him,
and He has realised this project through the ideas and bodies of these many useful people.

다음 일을 챙겼습니다.
보이지 않는 거대한 손이 만들어가는 느낌이었습니다.
마지막 밤을 새우는 날 이천 송이 장미가
성당 연못에 뿌려졌습니다. 그렇게 축복식날 아이들의
축가가 울렸고 풍선이 하늘을 날았습니다. (2018. 6. 24)

*

건축은 상황의 총합이다.
멕시코의 찰코라는 상황
마리아수녀회의 필요, 열망과 의지
한국 건축가의 참여와 멕시코 건축가의 협업
여러 번 바뀐 시공팀, 비용과 법 제도의 제약
현장에 투입된 기술과 자재, 인력의 숙련도
그리고 참여한 모든 이들의 관심과 노력
그 모든 상황의 집결된 결과가 '비야 알로이시오'다.
어느 하나 쉬운 것이 없었고, 어느 하나 순탄하게 진행된 것이 없다.

모든 집은 자기의 이야기를 담고 있다.
이 집은 건축가의 이상과 생각을 실현한 것이 아니라
소 알로이시오 신부의 영성과 마리아수녀회의 쓰임을 위한 것이다.
'지금 여기', 필요한 때가 되어 만들어졌다.

국가의 힘이 미치지 못하는 가난한 이들의 자립과
알로이시오의 모든 가족을 위해 사용될 것이다.
하늘에 계신 신부님께서 수녀들과 건축가를 통해
그것을 만들도록 했다.
모든 생각과 정신은 그분의 것이며,
이 프로젝트를 위해 그분이 유용한 이들의
생각과 몸을 통해 구현한 것이다.

El Padre Celestial nos guió para lograrlo a través de las hermanas y del arquitecto.

Cada pensamiento y espíritu vino de Él.

y Él ha realizado este proyecto a través de las ideas y cuerpos de estas muchas personas útiles.

En el terreno donde se encuentra esta casa, solía haber casas y almacenes agrícolas en la hacienda, donde la sangre, el sudor y las lágrimas de los mexicanos prevalecieron hace mucho tiempo.

La casa, propiedad de los ricos se convirtió en la base para este negocio, y en el cimiento para completar la "Sinfonía inconclusa" del Padre.

Las huellas y las almas de los pensamientos, las oraciones y la vida del Padre permanecen intactas aquí. No es una exageración decir que la idea completa detrás de este proyecto es conservarlos y expandirlos.

No importa quién realizó y construyó este proyecto.

Lo más importante es que esta casa será utilizada para ayudar a los pobres.

Ese es su único valor significativo.

El valor más importante de la arquitectura reside en las personas que usen ese lugar según sus necesidades y deseos.

La gente aquí se refiere a los miembros de la familia del Padre Aloysius y a los que lo honran,

y ese lugar se refiere a 'Villa Aloysius'

Un verdadero espíritu de comunidad reside en Villa Aloysius.

In the land where this house is located,
there used to be houses and farm warehouses in
the Hacienda, where the blood, sweat and tears of
Mexicans prevailed long ago.
The house owned by the rich became the base
for this business, and the foundation to complete
Father Aloysius' 'Unfinished Symphony.'
The traces and souls of Father's thoughts, prayers,
and life remain intact here. It is not an exaggeration
to say that the whole idea behind this project is to
maintain and expand them.

It does not matter who carried out and built this
project.
What matters most is that this house will be used
to help the poor.
That is its only significant value.
The most important value of architecture lies with
the people that use that place based on their
needs and wants.
The people here refer to the family members of
Father Aloysius and those who honour him,
and that place refers to 'Villa Aloysius'.

A true spirit of community lies in Villa Aloysius.

이 집이 들어선 땅에는
오래전 멕시코인들의 눈물과 땀이 밴 '하시엔다'의
주택과 농장 창고가 있었다.
부자들의 그 집이 가난한 이들을 위한
사업의 터가 되었으며 신부님의 '미완성 교향곡'을
완성하기 위한 기초가 되었다.
신부님이 고민하고 기도하고 살았던 흔적과 혼이
그대로 남아 있다.
그것을 유지하고 확장하는 것이 이 프로젝트의
전체라고 해도 과언이 아니다.

이 프로젝트를 누가 진행하고 누가 지었는지는
크게 중요하지 않다.
가난한 이들을 위한 집으로 쓰일 것이 중요하다.
그것만이 중요한 가치다.
건축의 가장 중요한 가치는 사람들이 그 장소를
잘 쓰는데 있다.
사람이란 알로이시오 가족과 그를 기억하는
모두를 말하며 그 장소가 '비야 알로이시오'다.

비야 알로이시오에는 이런 공동의 정신이 담겨 있다.

© César Béjar

© César Béjar

Epilogue
Epílogo
에필로그

Existing Building(Hacienda)

Drawing 1991.

"Rancho Bella Vista"

Casa Habitacion, Jardines, Areas De Recreo Y
Circulacion, Servicios, Granja Y Huerta

SUP. 9,412.50 MTS.^{2}

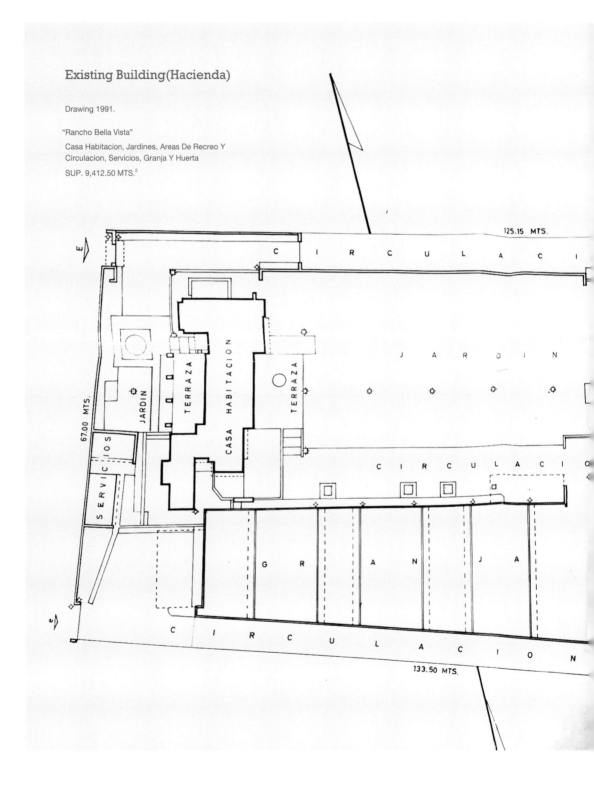

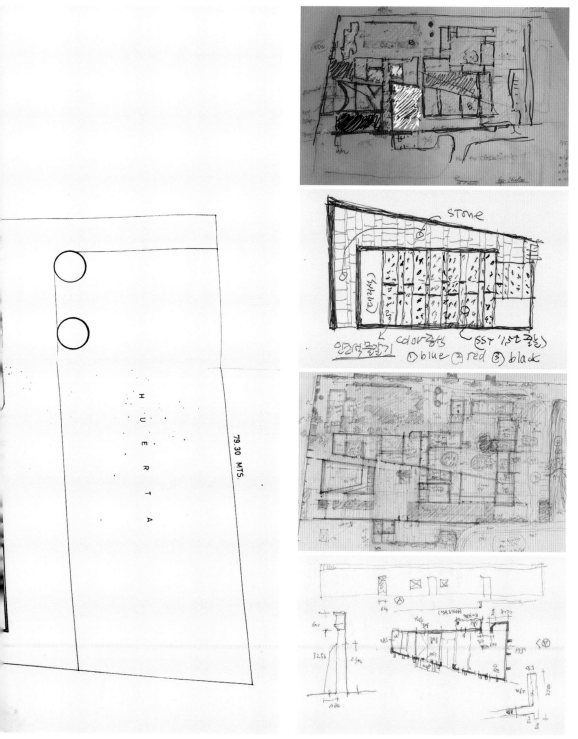

Idea Sketches

illustrated by Lee Sangdae

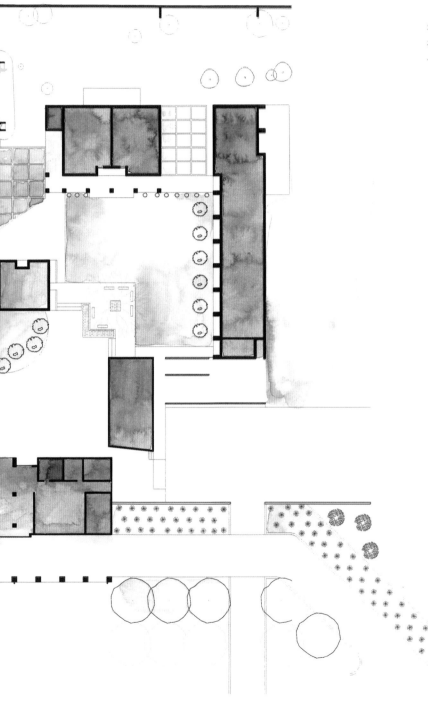

1. Father Aloysius' Room
2. Hacienda
3. Chapel
4. Banneux Chapel

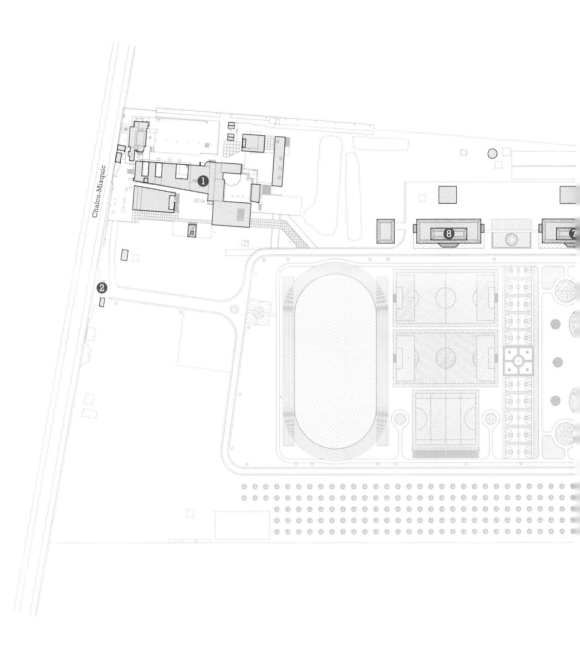

1. Villa Aloysius   5. Building #2
2. Gate   6. Gymnasium + workshop
3. Gymnasium   7. Building #3
4. Building #1   8. Building #4

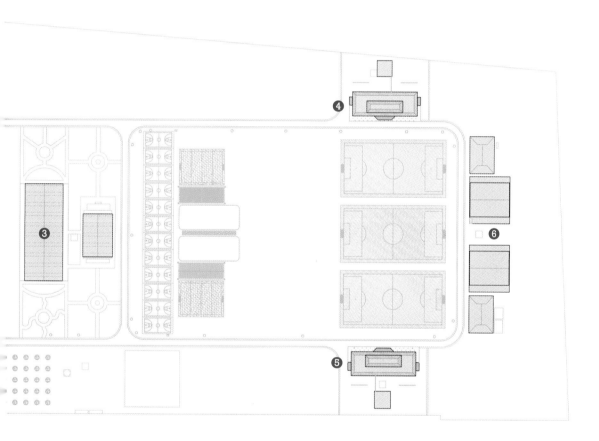

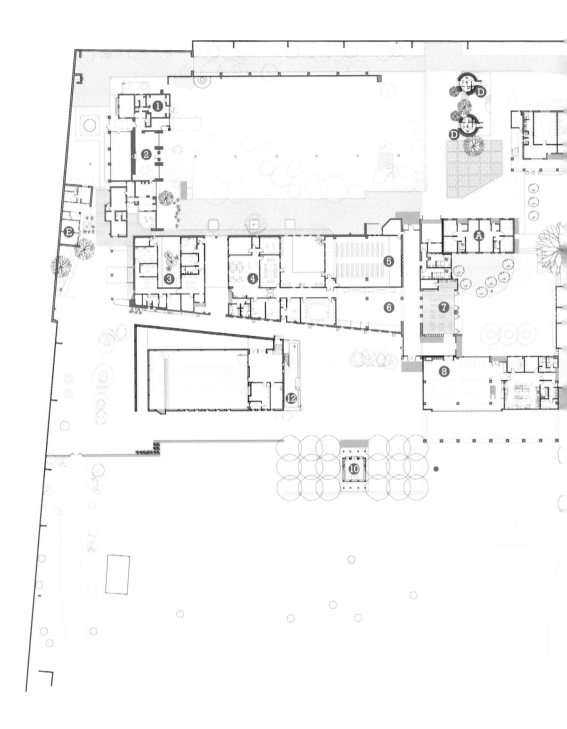

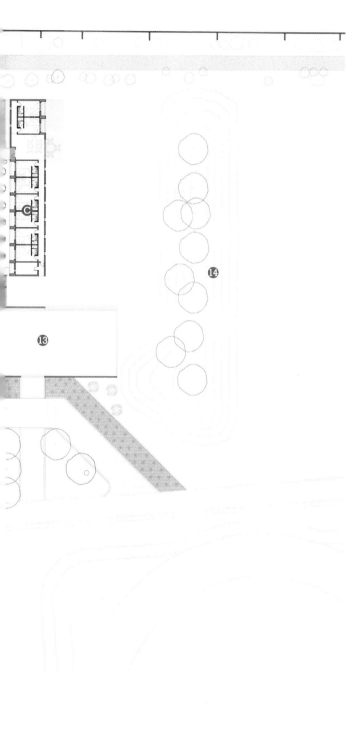

1. Father. Aloysius' Room
2. Hacienda
3. Convent
4. Office
5. Seminar Room
6. Hall
7. Cafeteria
8. Restaurant
9. Chapel
10. Banneux Chapel
11. Storage
12. Pond
13. Parking
14. Mound

Guest House

A. Seed House
B. Fruit House
C. Flower House
D. Maria & Joseph Tower
E. Juan Diego House

0   10   20m

N

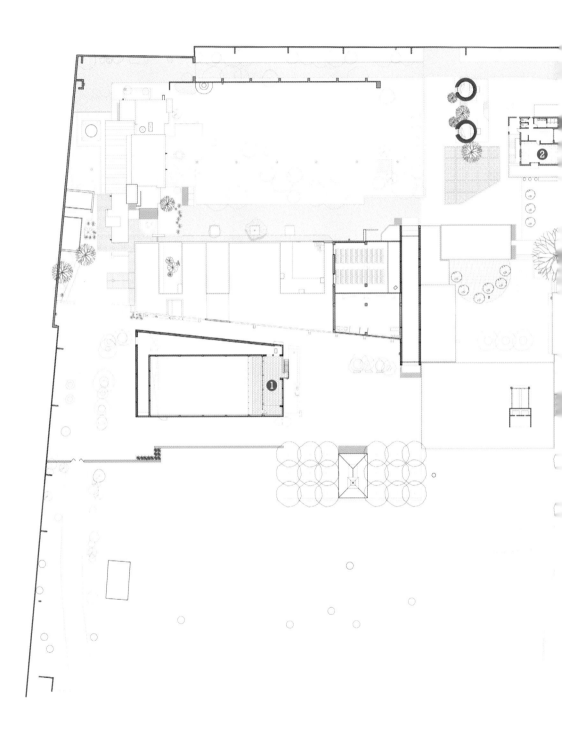

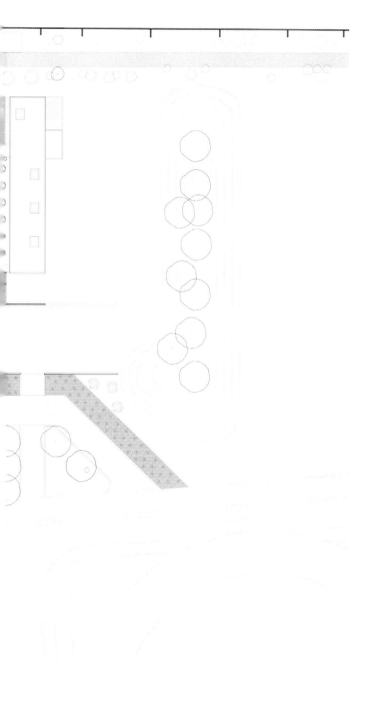

1. Chapel
2. Guest House(Fruit House)

0   10   20m

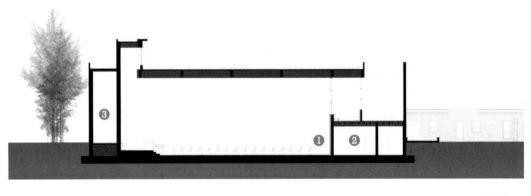

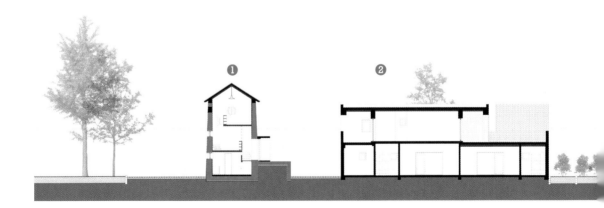

1. Chapel
2. Vestry
3. Corridor
4. Hall
5. Seminar Room

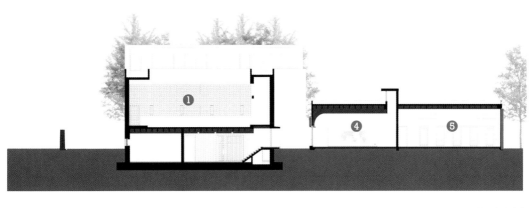

0 1 3 5m

Guest House

1. Maria & Joseph Tower
2. Fruit House
3. Flower House
4. Mound

0 1 3 5 10m

© Woo Daeseung

© 1990, Sister of Mary

© 1990, Sister of Mary

© Woo Daeseung

© Woo Daeseung

© Sister of Mary

© Woo Daeseung

Sisters of Mary
overseas

Ⓐ

South Korea 1964

Where it all began...
The Sisters of Mary were
founded by Fr.Aloysius
Schwartz in
Busan, South Korea.
The Boystown/Girlstown
program was organized to
educate poor children
of all ages.

Ⓑ

Philippines 1985

Four education complexes
(2 Girlstowns & 2 Boystowns)
serve 12,000 impoverished
high school students annually.

Ⓒ

Mexico 1991

Boystown and Girlstown,
in Guadalajara and Chalco,
educate 5,500 high school
students each year.

Ⓓ

Guatemala 1997

Boystown and Girlstown
educate 2,150 students
annually.

Ⓔ

Brazil 2002

Girlstown educates 1,000
young girls annually
Medical and dental clinics
serve the poorest of the poor
including the children from
Girlstown.

Ⓕ

Honduras 2012

Girlstown, established in
2012, educates 700 middle
and high school girls.
Boystown opened in 2017
and educate 250 boys.

Ⓖ

Tanzania 2018

The Sisters of Mary have
begun the process of
establishing a Boystown
and Girlstown on the
continent of Africa.

Founder. Aloysius Schwartz
1930-1992

Timeline.

Ⓐ	Ⓑ	Ⓒ	Ⓓ	Ⓔ	Ⓕ	Ⓖ
1964	1985	1991	1997	2002	2012	2018
South Korea	Philippines	Mexico	Guatemala	Brazil	Honduras	Tanzania

Summary.

Project Name: Villa Aloysius
Location: Villa de las Niñas, Carretera,
          Chalco Mixquic KM 0.0025,
          Chalco, Edo de Mexico
Use: Training Facilities, Religeous Facilities
Site Area: 353,640m^2
Total Floor Area: 3,464m^2
Structure: RC
Floor: 2F
Exterior Finish: Stucco, Red Brick
Interior Finish: Stucco, polished artificial stone
Design Period: 2016.1 ~ 2016.12
Construction Period: 2017.1 ~ 2018. 9

프로젝트: 비야 알로이시오
위치: 멕시코 찰코 '소녀의 집'
용도: 연수시설, 종교시설
대지면적: 353,640m^2
연면적: 3,464m^2
규모: 지상 2층
구조: 철근콘크리트조
외부마감: 스터코, 적벽돌
내부마감: 스터코, 인조석물갈기, 타일
설계기간: 2016.1 ~ 2016.12
공사기간: 2017.1 ~ 2018. 9

People.

Client: Sisters of Mary "Fundacion Aloysius AC"
Architect: Op'us Architects
          (Woo Daeseung, Cho Seongki, Kim Hyoungjong)
          Local Partners(Mexico) Arquiqualita
Design Team: Sisters of Mary_
          Sr. Margie Cheong,
          Sr. Hortencia Olivares Yescas

          Korean Architects Co_
          Lee Sangdae, Yang Goonsu,
          Kim Jongdo, Choi Eunrym, Kim Wongyom

          Mexican Architects_
          Arq. Arturo Preciado Hernandez,
          Arq Carlos Alfredo Berlioz Mateos
Construction Company: Expresión en Edificación SA de CV,
          Interior UNO
Consultant: - Landscape Design: Monica Pérez R
          - Structural Engineer: Arq. Ernesto Viterbo Zavala
          - graphic designer: Ink Link SA DE CV
          Lic. Hugo Eduardo Raboada Ibarra)
          - Electric Facilities: FRC Ingenieria S.A. DE C.V.
          - Telecommunication Engineer:
          FRC Ingenieria S.A. DE C.V.
Supervisor's Client: Ing. Salvador Fernández del Castillo, Lic.
          Lorenzo Marcelino Ortiz Herrans,
          Arq. Jennifer Ramirez Dominguez, Arq.
          Marlene Barcenas Ayala
Photographer: César Béjar, Woo Daeseung,
          (dron) Ing. Gilberto Alvarado Martinez
Video Edition: Jakknowledge Estrategias de Capital SC
          (Jose Antonia Vazquez)
Special Participation: Students of Villa de las Niñas,
          Alumni of Villa de las Niñas

Villa Aloysius.

First published in July 2019 by pixelhouse

Planning	Woo Daeseung
	Cho Seongki
	Kim Hyoungjong
Advice	Sisters of Mary
Photographs	César Béjar, Woo Daeseung
Support	Op'us Architects
Editing	Kim Hyoukjoon
Design	Graphicvirus
Translation	SPACE magazine
Production	Pixel Communication
Drawing	Op'us Architects

1쇄 펴냄	2019년 7월 7일
지음	우대성, 조성기, 김형종
협력	마리아수녀회
자료제공	(주)건축사사무소 오퍼스
사진	César Béjar, 우대성
편집	김혁준
디자인	그래픽바이러스
영문번역	공간
제작	픽셀커뮤니케이션

Published by Pixelhouse
42, Nonhyeon-ro 26-gil, Gangnam-gu,
Seoul, Republic of Korea

tel +81(2)825 3633, fax +81(2)2179 9911
www.pixelhouse.co.kr
pixelhouse@naver.com

펴낸이	이정해
펴낸곳	픽셀하우스
등록	2006년 1월 20일 제319-2006-1호
주소	서울특별시 강남구 논현로26길 42, 3층

ISBN 978-89-98940-13-3 03600
25,000won

Printed in the Republic of Korea